NOTE DE L'ÉDITEUR

Vous trouverez dans chaque volume de la série
CARD CAPTOR SAKURA
une carte marque-page représentant les personnages de la série.
Collectionnez-les et gardez-les précieusement...
Elles vous seront très utiles !

CARD CAPTOR
SAKURA VOL. 1

CLAMP

Card Captor Sakura, Vol. 1
a été réalisé par

CLAMP

SATSUKI IGARASHI
NANASE OHKAWA
MICK NEKOI
MOKONA APAPA

CLOW CARD

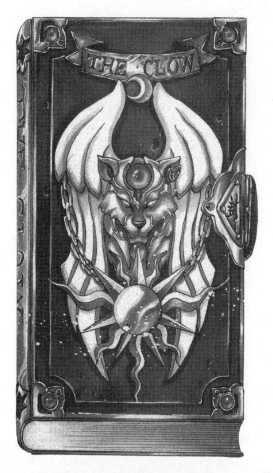

QUAND LE SCEAU SERA BRISÉ

SUR CE MONDE S'ABATTRA LE FLÉAU...

13

CETTE CASSETTE VIDÉO A ÉTÉ TOURNÉE PAR MA MEILLEURE COPINE DE CLASSE,

TOMOYO DAIDOJI ...

UN FILM ? NON, VOUS VOUS TROMPEZ !

C'ÉTAIT POUR DE VRAI !

OUAH OUAH

CETTE PELUCHE QUI GIGOTE VOUS INTRIGUE ?

JUSTE LÀ

MOI, C'EST KERBEROS

ON L'APPELLE LE PETIT KÉLO !

18

VLAN

KERBEROS,
JE TE DIS
!

LAM

KÉLO,
C'EST
TRÈS BIEN
AUSSI
!

C'EST
TROP
LONG
KER-BE-
ROS.

J'AI
UN NOM
QUI EN
IMPOSE, PAS
BESOIN DE CE
DIMINUTIF
!

VOUS
VOYEZ,
CE N'EST
PAS UNE
PELUCHE.

IL
EST
BIEN
VIVANT.

CE
N'EST PAS
NON PLUS
UN CHAT NI
UN CHIEN.

ALORS
QU'EST-
CE QUE
C'EST
?

CE SERAIT TROP LONG À VOUS EXPLIQUER...

WIW!

ARGH!

OH, NON !
JE VAIS
ÊTRE EN
RETARD
!

TAP
TAP

OUI, OUI !
JE NE VOUS AI
PAS ENCORE
PARLÉ DE MA
FAMILLE
!

BON-
JOUR
!

ECH !

19

CHUIS PAS AGITÉE !

POURQUOI TU T'AGITES AUTANT ?

EN T'ENTENDANT MARCHER,

J'AI CRU QUE GODZILLA ÉTAIT DANS LA MAISON !

BEN, JE NE SUIS PAS UN GODZILLA !

C'EST VRAI QUE TU ES TROP PETITE POUR UN GODZILLA

C'EST MON MÉCHANT GRAND FRÈRE, TOYA, QUI EST EN PREMIÈRE.

IL VA AU LYCÉE SEÏJO QUI EST JUSTE À CÔTÉ DE MON ÉCOLE. C'EST PEUT-ÊTRE LA DIFFÉRENCE D'ÂGE, MAIS J'AI BEAU ME BAGARRER CONTRE LUI, JE NE GAGNE JAMAIS !

ÇA DOIT ÊTRE PARCE QU'IL EST PLUS GRAND AUSSI. ÇA M'ÉNEEERVE !

ROUL ROUL

GROU !

UN JOUR,
SÛR QUE
JE DEVIENDRAI
GRANDE COMME
UN POTEAU
ÉLECTRIQUE, ET JE
L'ÉCRABOUILLERAI
!

PRO TCH

COMME
ÇA !

ARRÊTEZ
DE VOUS
DISPUTER
DE BON
MATIN
!

C'EST
MON PAPA,
FUJITAKA.

C'EST UN
PROFESSEUR
QUI ENSEIGNE
L'ARCHÉOLOGIE
À L'UNIVERSITÉ.
IL EST GENTIL, ET
FAIT TRÈS BIEN LA
CUISINE ET LA
COUTURE.

JE
L'ADOOORE
!

QUOI ?
MA MAMAN ?
EH BIEN, ELLE EST
MORTE QUAND
J'ÉTAIS TOUTE
PETITE.

J'AVAIS
TROIS ANS,
ALORS, JE NE
ME SOUVIENS
PAS TRÈS BIEN
DE MAMAN.

MAIS JE NE SUIS PAS TRISTE : J'AI MON PAPA.

ET PUIS, MÊME S'IL EST MÉCHANT, Y'A AUSSI MON FRÈRE.

MARK

ET KÉLO !

J'AI DIT KERBEROS !

EH?

TAM

C'ÉTAIT TRÈS BON.

TU PARS DÉJÀ ?

Y'A ENTRAÎNEMENT DE FOOT CE MATIN.

À CE SOIR !

MIAM

BOM BOM

CHÉTAIT DÉLICHIEUX !

ÇA VA ALLER ?

GLOURPS

GLOP GLOP

CLIP

22

24

VLAN !

DE TOUTES SES FORCES !

YUKITO TSUKISHIRO, IL EST EN PREMIÈRE, DANS LA MÊME CLASSE QUE MON FRÈRE.

JE N'ARRIVE PAS À CROIRE QU'IL SOIT L'AMI DE MON RUSTRE DE FRANGIN !

IL EST SI DOUX ET SI MIGNON !

IL PARAÎT QUE CES TEMPS-CI TU TRAÎNES UN PEU LE MATIN, SAKURA !

PLOP

FLASH-BACK

THE CLOW

C'ÉTAIT IL Y A DEUX MOIS, JE VENAIS JUSTE D'ENTRER EN CM1

DANS LA BIBLIOTHÈQUE DE MON PÈRE, SE TROUVAIT CE VIEUX LIVRE ...

AAH!

QUE MA LONGUE CHASSE AUX CLOW CARDS A DÉBUTÉ.

VOOOM

AAH!

C'EST QUAND J'AI VOULU L'OUVRIR

KÉLO A SURGI HORS DE LA COUVERTURE DU LIVRE

AH, MAIS IL N'A PAS TOUJOURS EU CETTE FORME-LÀ.

TOURIKIKI

THE CLOW

EN FAIT, IL EST BEAUCOUP PLUS GROS, MAIS IL DOIT MANQUER D'ÉNERGIE MAGIQUE LE JOUR, ALORS IL PREND LA FORME D'UNE PELUCHE ...

DE SON VRAI NOM KERBEROS, C'EST LE FAUVE PROTECTEUR DE CE LIVRE.

LA VÉRITABLE APPARENCE DE KÉLO EST TERRIBLEMENT IMPOSANTE

HUM?

ENFIN, C'EST CE QUE KÉLO M'A DIT

JE L'AI ENCORE JAMAIS VUE ...

* DANS LA RÉGION D'OSAKA, À L'OUEST DE TOKYO, ON PARLE UN DIALECTE UN PEU DIFFÉRENT DU LANGAGE STANDARD. LES HABITANTS DE CETTE RÉGION SONT FIERS DE LEUR DIFFÉRENCE CULTURELLE, UN PEU COMME LES MARSEILLAIS EN FRANCE, C'EST POURQUOI NOUS AVONS DONNÉ CET ACCENT À KÉLO DANS CETTE TRADUCTION.

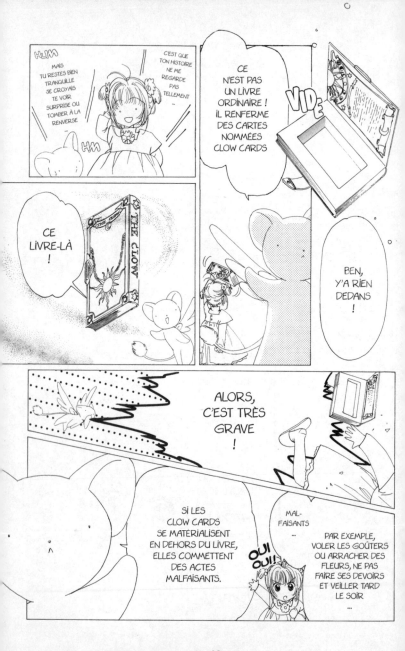

HUM

MAIS TU RESTES BIEN TRANQUILLE JE CROYAIS TE VOIR SURPRISE OU TOMBER À LA RENVERSE

HUM

C'EST QUE TON HISTOIRE NE ME REGARDE PAS TELLEMENT ...

CE N'EST PAS UN LIVRE ORDINAIRE ! IL RENFERME DES CARTES NOMMÉES CLOW CARDS

VIDE

CE LIVRE-LÀ !

THE CLOW

BEN, Y'A RIEN DEDANS !

ALORS, C'EST TRÈS GRAVE !

SI LES CLOW CARDS SE MATÉRIALISENT EN DEHORS DU LIVRE, ELLES COMMETTENT DES ACTES MALFAISANTS.

MAL-FAISANTS ...

OUI OUI!

PAR EXEMPLE, VOLER LES GOÛTERS OU ARRACHER DES FLEURS, NE PAS FAIRE SES DEVOIRS ET VEILLER TARD LE SOIR ...

CHACUNE DES CARTES EST VIVANTE.

ELLES REÇURENT TOUTES UN NOM, UNE APPARENCE ET UN SORTILÈGE.

UN GRAND POUVOIR RÉSIDE DANS LES CARTES QUE CLOW A FAÇONNÉES.

NON SEULEMENT ELLES AGISSENT À LEUR GUISE, MAIS RIEN DE NATUREL NE PEUT LES ARRÊTER.

ALORS CLOW, LUI-MÊME, A FABRIQUÉ CE LIVRE ...

THE CLOW

ET M'A PLACÉ DANS LA RELIURE, EN TANT QUE FAUVE PROTECTEUR, POUR LES GARDER.

HUM

PAR EXEMPLE, LA CARTE DU VENT RENFERME UNE MAGIE DE TEMPÊTE, CELLE DU FEU UNE MAGIE DE FLAMMES.

OÙ IL A EMPRISONNÉ LES CARTES

34

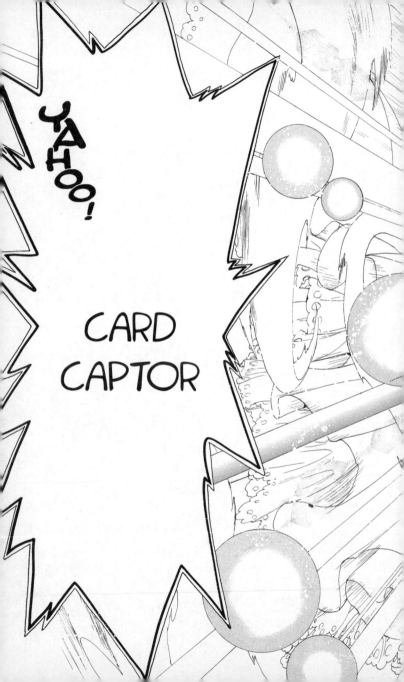

VIENT DE NAÎTRE !

HEEIN ?

FIN DU FLASH-BACK...

IL N'Y A QU'ELLE QUI EST AU COURANT DE MA COLLECTE DES CLOW CARDS.

ELLE EST TOUJOURS PRÊTE À M'AIDER

ALORS,

COMBIEN DE CARTES AS-TU DÉJÀ RASSEMBLÉES ?

SEULEMENT TROIS !

ROUL!

TIENS BON, SAKURA !

C'EST PARCE QUE TU TRAVAILLES DANS L'OMBRE QUE NOUS VIVONS EN PAIX !

GYU

TOMOYO ...

43

WSCROUTCH

KYA !!

WAOU

TOYA, t'es chou !

C'EST CRAQUANT DE VOUS VOIR ENSEMBLE, TOI ET TON FRÈRE !

POURQUOI EST-CE QUE LE TERRAIN DU LYCÉE EST JUSTE À CÔTÉ ?

ÉVIDEMMENT, MON FRANGIN EST DANS L'ÉQUIPE DE FOOT.

CLAC

OH YUKITO !

AAH !

MAIS EUH!

JE VOIS PAS BIEN YUKITO !

HI HI

CLANG

QUEL BOULET, CE GRAND FRÈRE !

EUH, SAKURA ?

KYAA

YUKITO !!!!

TAP

SAKU...

ZUP

OOAK !

48

EH BIEN,

IL Y A DE GRANDES CHANCES POUR QU'UNE CLOW CARD SOIT IMPLIQUÉE DANS L'AFFAIRE !

NOUS N'AVONS PLUS

QU'À RETOURNER SUR LE LIEU DES FAITS ...

TU VEUX DIRE L'ÉCOLE ?

MIKADO

LUNETTES DE SOLEIL DE SAKURA

PARDI !

LE COUPABLE REVIENT TOUJOURS SUR LES LIEUX DU CRIME !

CES TEMPS-CI KELO EST TRÈS INFLUENCÉ PAR LES REDIFFUSIONS DE FILMS POLICIERS.

MOI J'AIME BEAUCOUP "LE SENSIBLE INSPECTEUR MAGRET"

TOMOYO A DE CES GOÛTS !

IMPOSSIBLE DE DÉCROCHER DE CES REDIFFUSIONS

54

J'AI CRU ENTENDRE UNE AUTRE VOIX

TONIQUE AVEC UN ACCENT D'OSAKA

YOUP

OUI !

CE N'ÉTAIT

QUE MOI !

CLIP CLIP

PEUCHÈREU, PEUCHÈREU !

FLAP FLAP

CLIP CLIP

ELLE S'ENTRAÎNE À LA VENTRILOQUIE AVEC CETTE PELUCHE ?

HO HO HO

BIEN SÛR !

FLAP FLAP

CLANG

COMMENT EST-CE QU'UN BEAU GOSSE COMME MOI

POURRAIT ÊTRE UNE MARION-NETTE DE VENTRI-LOQUE ?

TU ES ENCORE FÂCHÉ ?

57

ROULE

JE T'AI FAIT ATTENDRE !

DÉSOLÉE !

TOMOYO !

NON, JE VIENS À PEINE D'ARRIVER ...

SUR CE,

MADEMOI-SELLE...

OUI, JE VOUS APPELLE POUR VENIR ME CHERCHER.

ZOUP ZOUP

COUIC

WOÉ !

VROOO

ZOUP !

YO !

BONSOIR !

COMME ON NE DOIT PAS LE VOIR, IL ÉTAIT CACHÉ LÀ.

CE SONT LES GARDES DU CORPS QUI VIENNENT CHERCHER TOMOYO QUAND LA NUIT TOMBE.

PAS VRAI ?

CES DAMES, C'ÉTAIT TES GARDES DU CORPS ?

MAMAN SE FAIT DU SOUCI SI JE SORS SANS ELLES LE SOIR.

CEUX QU'ON VOIT DANS LES FILMS SONT TOUJOURS DES HOMMES. LÀ CE SONT TOUTES DES FEMMES.

TERRIBLE ! UNE ÉCOLIÈRE AVEC DES GARDES DU CORPS, C'EST PAS BANAL !

AH ? MAIS UNE ÉCOLIÈRE AVEC DES POUVOIRS MAGIQUES, CE N'EST PAS FRÉQUENT NON PLUS !

C'EST SA MÈRE QUI A DÉCIDÉ... TOMOYO ME L'AVAIT RACONTÉ MAIS JE N'EN SAIS PAS PLUS.

TOUT SOURIRE

C'EST PAS FAUX ...

MAIS NON, VOYONS !

SI, EN TANT QUE CRÉATRICE DE CETTE ROBE, JE SUIS COMBLÉE.

TU ES TRÈS MIGNONNE, SAKURA

HEUREUSE !

IL NE FAUDRA PAS QUE J'OUBLIE DE LES RÉCUPÉRER AVANT DE RENTRER

FLAP FLAP

ALORS, KÉLO ?

ELLE EST LÀ !

C'EST SÛR,

IL Y A UNE CLOW CARD DANS L'ÉCOLE.

65

CAR EN FAIT

ELLE EST RENTRÉE D'ELLE-MÊME DANS LE LIVRE.

LES CARTES SONT VARIÉES

IL Y EN A DES CALMES ET DES TURBU- LENTES

DES PÉNIBLES,

DES FORTES,

DES FAIBLES ...

WINDY EST LA PLUS AMICALE DE TOUTES

UN PEU COMME WOOD !

HÉ HÉ HÉ

UNE PRÉDIC-TION ?

ON PEUT LIRE L'AVENIR AVEC LES CLOW CARDS ?

AH BON, JE NE TE L'AVAIS PAS DIT ?

CLOW LEAD, LE CRÉATEUR DES CARTES, N'ÉTAIT PAS QUE MAGICIEN,

C'ÉTAIT UN CÉLÈBRE VOYANT

ALORS, TU PEUX VOIR MES FUTURES AMOURS ?

YUKITO ET MOI

UTILISER LES CLOW CARDS UNIQUES AU MONDE POUR DES AMOURETTES ?

MAIS C'EST TRÈS IMPORTANT POUR MOI ...

AH, YUKITO !

SAKURA M'A DÉJÀ PARLÉ DE YUKITO.

C'EST L'AMI DU FRANGIN TOYA, MAIS ...

COPAINS

TOYA

YUKITO

JE NE L'AI JAMAIS VU.

70

YUKITO

J'AIMERAIS TE LE PRÉSENTER KÉLO !

IL EST BEAU, SURTOUT QUAND IL SOURIT

IL FAUDRA ENCORE QUE JE FASSE LA PELUCHE, ÇA NON ALORS !

QUOI ?

IL EST DÉJÀ 1 HEURE !

POM POM

OUI !

TU AS BIEN ÉCRIT TON NOM SUR LES TROIS CARTES QUE TU AS ATTRAPÉES ?

THE WOOD

SAKURA

BIEN !

LORSQUE C'EST FAIT, MÊME SI ELLES SORTENT DU LIVRE, ELLES N'OBÉIRONT À PERSONNE D'AUTRE QUE TOI.

2

TOMOYO DAIDOJI

NÉE LE
3 SEPTEMBRE

GROUPE SANGUIN
A

MATIÈRES PRÉFÉRÉES
MUSIQUE, GRAMMAIRE

MATIÈRE DÉTESTÉE
AUCUNE

ACTIVITÉ
CHORALE

COULEURS PRÉFÉRÉES
BEIGE, BLANC

FLEURS FAVORITES
LOTUS, FLEUR DE CERISIER

PLATS PRÉFÉRÉS
SOUPE DE PÂTES, SUSHI

PLAT DÉTESTÉ
POIVRONS

SPÉCIALITÉ CULINAIRE
CUISINE ITALIENNE

AIMERAIT BIEN...
UN NOUVEAU CAMESCOPE

TOMOYO DAIDOJI

HIER SOIR
...

JE LES AI OUBLIÉS À L'ÉCOLE ...

WOÉ ! MÊME EN COURANT, JE NE SERAI PAS À L'HEURE !

AH !

EUH... BEN...

EUH...

EMMÈNE-MOI EN VÉLO !

D'ACCORD, MAIS TU T'OCCUPES DU REPAS

NYAH !

DE CE SOIR !

ZUT !!

DIRE QUE JE L'AI RÉVEILLÉE PLUSIEURS FOIS ...

ELLE EST UN PEU LENTE À SE LEVER ...

SAKURA !

FLAP FLAP

TIN TIN !

WDOO

PETITE SAKURA !

TU AVAIS DEVINÉ QUE CETTE CARTE ÉTAIT ABÎMÉE !

J'AI VU EN RÊVE HIER,

UN OISEAU BLESSÉ QUI SOUFFRAIT ...

JE ME SUIS DEMANDÉE SI CE N'ÉTAIT PAS CELUI DE LA CARTE.

UN SONGE PRÉMONITOIRE

C'EST SÛR MAINTENANT ...

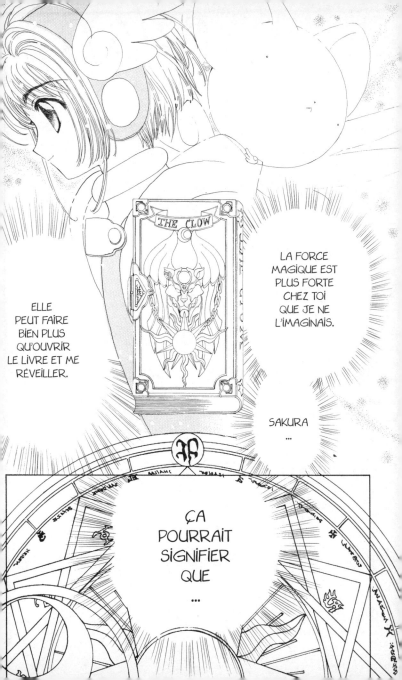

THE CLOW

ELLE
PEUT FAIRE
BIEN PLUS
QU'OUVRIR
LE LIVRE ET ME
RÉVEILLER.

LA FORCE
MAGIQUE EST
PLUS FORTE
CHEZ TOI
QUE JE NE
L'IMAGINAIS.

SAKURA
...

ÇA
POURRAIT
SIGNIFIER
QUE
...

MON ÉCOLE EST TRÈS PRATIQUE, ON PEUT CHOISIR DE MANGER À LA CANTINE OU D'EMMENER SON PROPRE REPAS ...

ET ON A PLUSIEURS PROFESSEURS SELON LES MATIÈRES !

SAKURA, TU AS L'AIR TELLEMENT JOYEUSE AUJOURD'HUI !

C'EST PARCE QU'AUJOURD'HUI, Y'A PISCINE !

MOI J'AIME LA MAÎTRESSE DE GRAMMAIRE, MIDORI.

TERADA LE PROF D'EPS EST SUPER !

BLA BLA BLA

* AU JAPON, LA CLASSE QUI SUIT LE CM2 (SIXIÈME) EST RATTACHÉE AU PRIMAIRE, PAS AU COLLÈGE. C'EST POUR CELA QUE LES DEUX SŒURS FRÉQUENTENT LA MÊME PISCINE.

TR!!! PRÉPAREZ-VOUS !

DIRE QUE J'ÉTAIS SUPER CONTENTE D'AVOIR PISCINE. LES HISTOIRES QUI FONT PEUR ET LE KONNYAKU*, JE SUPPORTE PAS !

JE DÉTESTE CETTE SENSATION VISQUEUSE QUAND ON EN MANGE !

ÇA VA !

PAS DE MALAISE !

HEIN ?

AVEC QUI ELLE PARLE ?

BASHA

ON EST BIEN !

SHPLOU

CLAP CLAP

VIENS NAGER, TOMOYO !

* LÉGUME JAPONAIS

96

J'AI CRU MOURIR !

ZOOOOOM

OUF!

AH, ÇA, NON !

MAIS CETTE FOIS ÇA RISQUE D'ÊTRE DUR !

TU T'ES FAIT AGRESSER SOUS L'EAU ...

KOA ?

OUIP!

AS TU VU QUELQUE CHOSE ?

RIEN DU TOUT, SEULEMENT UN TOURBILLON D'EAU

ALORS, C'EST PEUT-ÊTRE LA CARTE WATERY

DE PLUS, CETTE CARTE EST TOURNÉE VERS LES MAGIES OFFENSIVES.

ELLE N'EST PAS TENDRE !

UH !

AVEC LES CARTES QUE TU POSSÈDES,

TU NE PEUX PAS L'INQUIÉTER.

3

TOYA KINOMOTO

NÉ LE
29 FÉVRIER

GROUPE SANGUIN
O

MATIÈRES PRÉFÉRÉES
PHYSIQUE / CHIMIE

MATIÈRE DÉTESTÉE
AUCUNE

ACTIVITÉ
CLUB DE FOOTBALL

COULEUR PRÉFÉRÉE
BLEU

FLEUR FAVORITE
FLEUR DE PÊCHE

PLAT PRÉFÉRÉ
STEACK

PLAT DÉTESTÉ
RAGOÛT

SPÉCIALITÉS CULINAIRES
OMELETTE, NOUILLES SAUTÉES

AIMERAIT BIEN...
DES MOCASSINS TOUT NEUFS

TOYA KINOMOTO

LE COURS DU CLUB DES MAJORETTES EST FINI POUR AUJOURD'HUI !

MERCI, PROFESSEUR !

C'ÉTAIT DIFFICILE ...

BWOÉ

JE SUIS FATIGUÉE !

ON MANGERA UNE GLACE SUR LE CHEMIN.

AUJOURD'HUI ENCORE, QUELQU'UN S'EST FAIT TIRER LA JAMBE ET A FAILLI SE NOYER !

J'AI PEUR ...

COMME LES PROFS NE SAVENT PAS D'OÙ ÇA VIENT, IL ONT DÉCIDÉ DE FERMER LA PISCINE EN ATTENDANT.

FLASH-BACK

MAIS AVEC CES QUATRE CARTES, PEUT-ÊTRE QUE ...

HUM

MARCHERA PAS !

MÊME AVEC UNE FORCE MAGIQUE IDENTIQUE, WINDY NE BATTRA PAS WATERY

WINDY EST TROP DOUCE

IL FAUDRAIT D'ABORD LA RASSEMBLER POUR QU'ELLE FASSE UN TOUT !

ET AVEC LES CARTES QUE TU POSSÈDES, ÇA VA PAS ÊTRE POSSIBLE !

FIN DU FLASH-BACK

MATE

CE N'EST RIEN ! L'ENTRAÎNEMENT ÉTAIT DIFFICILE,

ALORS JE SUIS FATIGUÉE, C'EST TOUT !

NOTRE SAKURA QUI EST TOUJOURS EN FORME ? NOTRE SAKURA QUI N'ABANDONNE PAS MÊME QUAND ELLE SE PREND LE BÂTON SUR LA TÊTE ?

DE PLUS, UNE ENTITÉ SANS FORME PRÉCISE COMME WATERY EST DURE À CAPTURER !

ÇA N'A PAS L'AIR D'ALLER SAKURA ?

JE ME FAIS DU SOUCI

SAKURA ...

LAISSE-MOI FAIRE !

QUESSESE

QUE ÇA ?

TOMOYO ME L'A PRÊTÉ,

C'EST L'ENTREPRISE DE SA MAMAN QUI LES FABRIQUE.

UN TÉLÉPHONE DE POCHE !

DRIING

DRIING

115

116

117

RÉFECTOIRE

BLASH BLASH BLASH

STAP

BLA SH

AH, SAKURA !

LE...

CE PARC AVEC UN ÉTANG, C'EST CELUI DE L'EMPEREUR PINGOUIN ?

DIRE QUE CE SONT LES VACANCES D'ÉTÉ, NOS VACANCES ...

POURQUOI CES HISTOIRES QUI FONT PEUR ?!

QU'EST-CE QUE TU RENTRAIS VOIR À LA TÉLÉ ?

L'ÉTÉ DES FANTÔMES ET REVENANTS !

OUI

UN TOBOGGAN EN FORME DE ROI DES PINGOUINS

NAN

NAN

NAOKO, TU ES SÛRE DE NE PAS T'ÊTRE TROMPÉE ?

CONFONDU AVEC UNE PANCARTE OU UN ARBRE...

CERTAINE ! ALORS ...

ZOUP

OSAS !

L'ENTRAÎNEMENT COMMENCE !

OH LÀ LÀ !

QU'EST CE QUI T'ARRIVE ?

RIEN DU TOUUUUT ...

127

132

134

NADESHIKO, MA MAMAN, EST DEVENUE MANNEQUIN DÈS LE COLLÈGE...

ALORS, ON A TOUT PLEIN DE PHOTOS D'ELLE ! ON LES A PRISES DANS DES MAGAZINES !

MON PÈRE CHANGE LES CADRES TOUS LES JOURS...

MAMAN EST SI BELLE !

OH, OUI, C'EST LA FEMME LA PLUS DOUCE ET LA PLUS JOLIE DU MONDE !

MAMAN AVAIT 16 ANS ET PAPA 25 LORSQU'ILS SE SONT MARIÉS...

À 16 ANS, ELLE ENTRAIT AU LYCÉE...

BCO

KÉLO, VOILÀ DU FLAN !

J'AI PIQUÉ CELUI DE MON FRÈRE !

OUAIS !

TIENS ...

UN FAX DE TOMOYO !

Chère Sakura Kinomoto,

Aujourd'hui nous avons eu une journée difficile.

Tu es rentrée sans encombre ? je me fais du souci. Fais attention à toi. Je t'ai envoyé ce fax pour la fête de demain. Tu savais qu'il y avait des festivités dans le parc de " l'empereur pingouin " ? je pensais qu'on irait ensemble mais à l'événement de cet après-midi, je suis un peu gênée de te le proposer. Comme ce sont les vacances, je voudrais qu'on s'amuse tout de même un peu. Qu'en penses-tu ? C'est la fête, alors il y aura beaucoup de monde, et puis si on ne s'approche pas du lac, ça te tenterait de venir avec moi ?

Tomoyo Daidoji

ZUT !

IL VA Y AVOIR UNE FÊTE DANS LE PARC DE TOUT À L'HEURE

EUH...

J'IRAIS BIEN ...

145

MA...

MAMAN ?

À SUIVRE...

SAKURA CARD CAPTOR

CLAMP BRAND

C'EST SAKURA !

TIL TILING ING

Maman est là !

SET
ON / OFF

MAMAN ?

LA MÈRE DE SAKURA EST MORTE IL Y A SEPT ANS DE CELA !

159

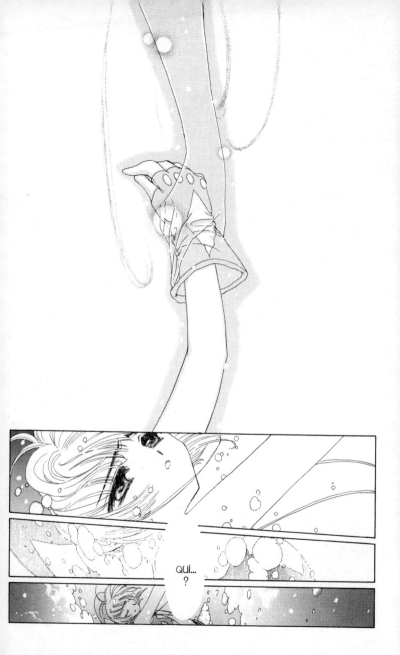

TWINK

TU ES REVENUE À TOI ?

ZOUP ZOUP

YUKITO !

C'EST CHEZ MOI, ICI !

MA GRAND-MÈRE T'A CHANGÉE

MON FRÈRE M'AVAIT DIT QUE YUKITO VIVAIT SEUL AVEC SON GRAND-PÈRE ET SA GRAND-MÈRE

OUAH !

AH,

ET KÉLO ...

TOMOYO

M'A CHARGÉ DE TE DIRE QU'ELLE LE GARDAIT POUR CETTE FOIS

C'EST CETTE PELUCHE ORANGE ?

PAS D'INQUIÉTUDE

J'AI INSISTÉ POUR QU'IL NE TE GRONDE PAS !

ALORS

REPOSE-TOI ENCORE ...

MMMH

J'AI REVU

DANS LE LAC DU PARC

C'ÉTAIT

PEUT-ÊTRE LE FANTÔME DE MAMAN ?!

YUKITO ...

MA MAMAN

OUI ?

MON GRAND FRÈRE M'A DIT, IL Y A LONGTEMPS,

QUE LES ESPRITS REVENAIENT POUR CERTAINES RAISONS ...

C'EST POUR CELA QU'ELLE PANIQUE AUTANT !

BIEN SÛR

ET QUELQUES FOIS, JE NE LUI DISAIS RIEN, MAIS ELLE SE METTAIT À PLEURER TOUTE SEULE...

BIEN SÛR, ON NE VOYAIT RIEN, MAIS JE CROIS QU'ELLE SENTAIT QUELQUE CHOSE ...

MAIS TOYA, TU AS DÉJÀ REVU TA MÈRE ?

NON,

ÇA NE M'EST PLUS JAMAIS ARRIVÉ DÈS LE JOUR OÙ JE SUIS ENTRÉ AU COLLÈGE...

JE SUPPOSE ...

QUE TA MÈRE TE MANQUE, À TOI AUSSI ?

PAS VRAIMENT ...

MAIS ...

EN FAIT

UN SEUL OEIL QUI TOURNAIT PARTOUT

TOUT VAPOREUX AVEC DE LONGUES OREILLES

AVEC DE LONGUES JAMBES

NON, IL ÉTAIT BLANC

ROSE ET BRILLANT

UN COU DE GIRAFE

TOUT ROND

TOUT LE MONDE A VU QUELQUE CHOSE DE DIFFÉRENT À LA SURFACE DU LAC

MOI J'AI JUSTE VU L'EMPEREUR PINGOUIN

SAKURA EST LA SEULE À AVOIR APERÇU UNE JEUNE FEMME.

CETTE FOIS TU FERAIS MIEUX D'ABANDONNER

POUR-QUOI ?

JE NE SAIS PAS ...

SI C'EST UNE CLOW CARD OU UN FANTÔME MAIS ...

SI LE COPAIN DE TOYA N'ÉTAIT PAS PASSÉ PAR LÀ

TU NE T'EN SERAIS PAS TIRÉE À SI BON COMPTE !

CETTE FOIS NOTRE ADVERSAIRE EST TRÈS FORT. IL A RÉUSSI À M'ASSOMMER

ET PUIS, AUTREFOIS...

MON FRÈRE ME DISAIT

MAMAN N'EST PLUS LÀ ! MAIS ELLE SAIT QUE TU VAS BIEN.

ET MAINTENANT QU'ELLE EST RASSURÉE, ELLE EST AU CIEL DANS UN ENDROIT MAGNIFIQUE !

ALORS, JE ME DEMANDE CE QUE MA MÈRE FAIT ICI !

SI ELLE A QUELQUE CHOSE À ME DIRE, JE VEUX LE SAVOIR !

PSHH

C'EST LA CARTE ILLUSION

C'EST DONC POUR CELA

QU'ON N'AVAIT PAS TOUS LA MÊME IMAGE !

ILLUSION

EST UNE CARTE QUI MONTRE CE QUE L'ON VEUT VOIR !

ELLE DÉVOILE CE QUI EST DANS LE CŒUR DE CHACUN ...

COMMENT ÇA ?

C'EST LOGIQUE QU'ON AIT TOUS VU QUELQUE CHOSE DE DIFFÉRENT

THE ILLUSION

MAINTENANT QUE TU LE DIS,

C'EST VRAI, QU'À CE MOMENT-LÀ, JE PENSAIS JUSTEMENT À L'EMPEREUR PINGOUIN.

J'AURAIS BIEN FAIT UN PEU DE TOBOGGAN !

TOUT LE MONDE SE DISAIT J'AURAIS VRAIMENT PEUR SI JE RENCONTRAIS CA OU CA...

TOUT À L'HEURE, SAKURA NOUS A MONTRÉ UNE PHOTO DE SA MÈRE.

ON ÉTAIT TOUS PERSUADÉS QU'ON ALLAIT LA VOIR APPARAÎTRE ...

QUAND J'AI VOULU SAUVER SAKURA, J'AI ÉTÉ PROJETÉ AU LOIN

PAR LE SENTIMENT FORT ET INTENSE DE SAKURA

QUI RETROUVAIT SA MÈRE

ENFIN, C'EST MIEUX AINSI !

L'ESPRIT DE MAMAN NE SE TROUVE PAS SEUL AU FOND DE CE LAC !

FIN DU VOLUME 1 - À SUIVRE

Titre original :
CARD CAPTOR SAKURA, vol. 1
© 1996 CLAMP
All Rights Reserved
First published in Japan in 1998
by Kodansha Ltd., Tokyo
French publication rights
arranged through Kodansha Ltd.
French translation rights : Pika Édition

Traduction et adaptation : Reyda Seddiki
Lettrage : Sébastien Douaud

L'édition originale de cet ouvrage
a été publié dans le sens de lecture
japonais. Les images ont été retournées
pour l'édition française.

© 2000 Pika Édition
ISBN : 2-84599-031-6
Dépôt légal : septembre 2000
Imprimé en Belgique par Walleyndruk
Diffusion : Hachette Livre